EN FACE

PORTRÄTT/PORTRAITS: LARS GRÖNWALL
FÖRORD/PREFACE: MIKAEL TIMM

MÄNNISKA MÖTER MÄNNISKA

För konstkritiker finns det inget så otrendigt som porträtt, för åskådare inget så intressant. Mosters familjealbum och National Portrait Gallery i London drar alltid folk. Konstfulla arrangemang behövs inte, inte heller kunskap om de avbildade. I National Portrait Gallery hänger bilderna kronologiskt men vad hjälper det. Åtskilliga som löst inträdesbiljett vet inte vem drottning Elisabeth var eller när hon levde. Var det hon som blev ihjälkörd eller var det hon som halshöggs? Och vad ska man säga om avdelningarna med vetenskapsmän – vem som uppfann vad är oklart för de flesta av oss. Författare och intellektuella som sägs ha påverkat oss alla hänger för sig själva, vilket de förmodligen gjorde när de var vid liv. Några få blir igenkända och för det mesta för något de själva ansåg oviktigt. En och annan skådespelerska påminner oss om någon gammal film – men var det verkligen henne vi såg eller någon som imiterade henne?

Strunt samma – vi tittar ändå noga. Porträtt är konst reducerad till det mest grundläggande. Människa möter människa, över avstånd mellan klasser, epoker och länder. Det är lika enkelt som fängslande. Men är mötet uppriktigt?

Naturligtvis upphäver inte bilden skillnaderna mellan oss, de tar bara en annan form. Vi definierar oss själva i förhållande till andra. Ett bra porträtt säger något om den som ser det. Kanske förändras åskådaren mer av att se ett porträtt än den avbildade förändrades av att porträttet gjordes.

Numera får blott de mäktigaste sina porträtt målade i olja, vi andra får nöja oss med att bli fotograferade. Den fotografiska bilden har fortfarande lägre status, men å andra sidan förefaller dagens makthavare och celebriteter vara mer kortlivade än sina föregångare. Det är i sin ordning att man i kanslihuset ser äldre ministrar hänga i olja medan den senast avgångne fick gå till en fotoautomat.

Ju mer den avbildade lever i nuet – vilket betyder *behöver* nuet – desto viktigare är det att styra bilden. När en rockstjärna skall porträtteras anländer fotografen med stylist som i sin tur har diverse olika assistenter. Artister, presidenter och människor som är kända för att vara kända har till yrke att reflektera över sin bild och sin publik, följaktligen brukar de själva vilja bestämma hur porträttet skall se ut.

Övriga blir sedda som omgivningen vill att de skall ses. Liket har ingen talan när press- och polisfotograferna höjer kameran på brottsplatsen. Det lilla barnet kan gnälla men blir porträtterat som mamma och pappa bestämmer. I mitten av skalan har vi examensbilder, bröllopsbilder, snapshot från personalfesten och semestern.

Det enda alla porträtterade verkar vara överens om är att porträttet inte ger sanningen. Alla porträtt är falska (men, säger cynikern, det är ju människan också). Därmed är vi tillbaka till utgångspunkten: se människan.

Porträttet är vår snabblinje till det förflutna. Kanske är intresset för antiken så stabilt just för att de romerska och grekiska skulpturerna tillåter oss att möta individer. Hur vackra de bysantinska målningarna av helgon än är, föredrar vi att se individer snarare än människor som lämnat det mänskliga tillståndet och ser ut som en princip. Människa vill se människa.

Alla kan vi inte möta, varken i livet eller i döden. De flesta som lever är stumma och osedda. De flesta som har levt har levt osynliga. Det första individualiserade porträttet av en svensk finns på ett mynt. Det visar Olof Skötkonung som levde på 1000-talet. Fortfarande låter vi avbilda våra mäktiga på sedlar. Bilden och sedeln är symboler som stärker varandra.

Makten behöver porträtt. Vem som får i uppdrag att fotografera den franske presidenten är ett mycket medvetet beslut. Makten behöver också se mänsklig ut, därav alla amerikanska presidenter i skjortärmarna. Clinton gick till och med så långt att han gjorde en skämtsam kortfilm om sig själv i Vita huset (de scener många velat se fanns däremot inte med).

Mot de officiella porträtten ställs porträtt från intimsfären, ibland från marginalen. Med åren har allt fler fotografer lämnat de betalda uppdragen för att istället porträttera vänner och familj. Andra fotografer söker sig medvetet till samhällets utkanter.

Cartier-Bresson använde samma kamera oavsett om han porträtterade konstnärsvänner, människor som levde på gatan eller presidenter. Det avgörande är inte vilken teknik som används utan vilket förhållande fotografen har till den porträtterade. Det kan verka enkelt att höja kameran när man är omgiven av sin egen krets, men var och en som försökt ta bilder av kära och nära vet hur svårbedda de kan vara. För vem vet hur familjebilden kommer att tolkas i framtiden?

En kliché säger att vi lever i bildens tidsålder. Det finns inte längre någon del av världen dit kamerorna inte når, men att göra ett porträtt av någon är fortfarande en handling med symboliska undertoner, oavsett var och när bilden tas. I vissa "primitiva" kulturer finns en direkt avoghet mot att fotograferas. Flera europeiska länder har lagstiftning kring rätten att fotografera individer på offentlig plats så att de går att känna igen, alltså porträtt. I vårt eget land förekommer fotograferingsförbud på vissa platser och tider. Varför?

Språket avslöjar vad det handlar om: "ta en bild". Porträttfotografen är en tjuv. Minskar "jaget" ju mer en person bli porträtterad? Gröper kameran ur själen?

I svenska domstolar är kameror förbjudna medan det är tillåtet att göra teckningar och bandinspelningar. Just den distinktionen gjorde för övrigt den franske psykoanalytikern Jacques Lacan. När jag kom till en av hans föreläsningar med bandspelare infann sig en imponerande livvakt och hotade att kasta ut mig om jag tänkte fotografera Mästaren. Lacans röst fick jag ta med mig, det vill säga hans tankar – men inte bilden av honom.

Alla kan bli berömda i 15 minuter sade Andy Warhol. Vanan att trycka visitkort med namnet på ena sidan och ett porträtt på den andra är sedan länge försvunnen medan dokusåporna sänder direkt från sovrummen. Men problemet är kvar: hur ska jag se ut den korta tid när jag blir sedd, verkligen sedd?

Drygt 160 år efter att de första fotografiska bilderna exponerades lever skräcken för att bli avbildad kvar. Så är också detta att fånga en annan människa i bild något av det svåraste som finns. För att parafrasera Man Ray (som bland mycket annat var en utmärkt porträttfotograf) finns det ingen utveckling inom porträttkonsten, lika lite som det finns en utveckling inom kärleken. Det finns bara olika sätt att älska, respektive olika sätt att se. Vilket egentligen är samma sak. Kanske borde vi bara avbildas av dem som älskar oss.

När den fotografiska bilden uppfanns befriades konsten från kravet att dokumentera. Kameran visade verkligheten bättre och snabbare än de flesta målare. Många porträttmålare gick också över till att fotografera. De som fortsatte att måla var tvingade att upptäcka själen, något måste ju kunden få för pengarna.

Jag gissar att fotograferna gärna lämnade själen åt målarna, kroppen är inte så dum. I vår tid är porträtt framförallt lika med närbilder men de tidigaste fotografiska porträtten kan föra tankarna till skulptur. De första amerikanska reportagefotograferna som följde inbördeskriget visade gärna männen i helfigur och det gjorde också franska och engelska fotografer, oavsett genre. Modellernas kroppsspråk är noga uttänkt och ljussättningen är omsorgsfull. Senare har filmen och framförallt televisionen vant oss vid extrema närbilder men de första fotografiska porträttens diskretion inbjuder oss att luta oss fram för att lyssna.

Fortfarande definieras fotografiet av sitt förhållande till måleriet. Ändå borde vi väl kunna enas om att det viktiga inte är huruvida en bild framställs av oljefärger, ljuskänslig film eller pixlar på en skärm – utan vad den visar. Men kanske är det bra att den fotografiska bilden tvekar inför att bli "konst". Det finns något i fotografiet som signalerar "sanning", hur många gånger än fotograferna försäkrar att de är subjektiva. (Också Lars Grönwall leker med begreppen när han porträtterar ett porträtt på en utställning.)

Många av de tidiga fotograferna var passionerat intresserade av arkitektur och konst. Dels ville de höja den fotografiska bildens standard genom att närma den till de andra konstarterna, dels var det praktiskt att fotografera något som stod stilla. Erfarenheterna av långa förberedelser och omsorgsfull ljussättning tog fotograferna med sig in i studion när det gällde att göra porträtt. Den tidiga fotohistorien rymmer underbara porträtt där fotograferna ofta verkar friare och lekfullare än sina nutida kolleger.

En av dessa märkliga porträttfotografer under 1800-talets slut var Félix Nadar som började som karikatyrtecknare och dessutom bland mycket annat var ballongfarare och uppfinnare. Någonstans i allt detta lyckades Nadar också lansera sig som Parisfotografen på modet. Alla som var något i staden tycks ha passerat hans atelјé.

Till en början försåg Nadar sina modeller med attribut som band dem till yrke och social tillhörighet men snart började han förenkla, kanske därför att han skulle hinna med så mycket annat. Hans porträtt av den unga Sarah Bernhardt klädd bara i en hästfilt skulle kunna ha tagits av Annie Leibowitz för Madonnas nya album. Skillnaderna är till Nadars fördel eftersom Sara Bernhardt framstår som okonstlat vacker medan Leibowitz modeller ser ut som konceptuella produkter där fotografen och modellen gör ett "statement", vilket är finare än att bara göra en bild.

Kanske blev Nadars porträtt så levande därför att han inte styrdes av någon förutbestämd mening om hur porträtten skulle se ut. Han var den förste att använda konstljus, han var fantasifull både i och utanför studion. En del porträtt är ytterligt noggrant uttänkta, andra är improvisationer.

Skönhetsidealen har ändrats men porträttfotografens uppsättning av yrkesknep är inte så annorlunda. Fotografen kan välja att fotografera sina modeller omgivna av attribut eller mot en diskret bakgrund. Fotografen kan låta oss möta den avbildades blick, eller låta modellen se förbi oss. Fotografen kan sätta modellen på en stol eller låta henne stå upp. Fotografen kan välja att retuschera dålig hy, försköna ögonfärg och hår – eller låta det vara.

Problemet förblir detsamma. Hur se människan?

Lars Grönwall väljer det enkla som samtidigt är det svåra. Han arbetar både med egna projekt och på uppdrag vilket betyder att han måste ta hänsyn till beställarens vilja. Men jag misstänker att tiden upphör när han tittar genom sökaren. Allt blir "nu". Det är inte någon större skillnad mellan de beställda porträtten och bilderna han givit sig själv i uppdrag att göra. Han försköпar aldrig sina modeller. Möjligen verkar de personer Grönwall själv hittat mer avspända än de som blir fotograferade på beställning.

I den mån Grönwall söker skönhet ligger den i kompositionen. Bilderna av de egna barnen är naturligtvis friare än de av makthavare, men läser man inte namnet kan det vara svårt att gissa den avbildades position i samhället.

Det går en skiljelinje mellan Grönwalls porträtt. Den har inte att göra med modellens sociala ställning och inte med vem som är uppdragsgivare. Skillnaden gäller närvaron. Inte ens den noggrannaste fotograf kan förutse allt. Något måste fotografen likt Gud lämna åt slumpen, då först får människan liv. Eller rättare sagt: först då hittar människan sitt liv.

En del av människorna i denna bok är fullt närvarande när slutaren öppnas, andra befinner sig någon annanstans. Vi ser dem. De ser oss. Somliga verkar pretentiösa, kanske avslöjar de mer om sin syn på sig själva än de avsåg att göra, det gällde ju bara att ställa sig framför kameran. Andra är avvaktande, de verkar fråga sig varför vi vill se dem.

Men det behöver ingen undra över.

Människa söker människa. Därför behövs porträtt.

Mikael Timm

For art critics nothing lacks trendiness quite like portraits. For the beholder nothing is more interesting. Family albums and London's National Portrait Gallery always attract a public. The trappings of art and a knowledge of those depicted are quite unnecessary. It's true that the portraits in the National Portrait Gallery are in chronological order, but does this help? Many who go in there knows nothing about Elisabeth 1st and when she lived. Did she die in a car crash or was her head chopped off? And not to mention the section with famous scientists – who knows who invented what? While writers and intellectuals said to have influenced our thinking hang separately, as separate perhaps as when alive. The few recognised are usually identified for something they themselves considered insignificant. Now and again an actress reminds us of some film from the past – but was it really her we saw, or was it just somebody imitating her?

Who cares, let's just concentrate on looking. Portraits are art reduced to fundamentals. People come face to face across the divides of class, epoch and country. As simple as it is captivating. But is it an honest encounter?

The differences between us are hardly nullified, merely given new form. We define ourselves in relation to others. A good portrait says something about the observer. Perhaps the observer is changed more by looking at a portrait than the person portrayed was changed by being depicted.

Nowadays only people at the top get portrayed in oils, while we others have to content ourselves with being photographed. Photographic depiction still has lower status, but on the other hand the celebrities and people in power of today appear to be more short-lived than their predecessors. It is in the order of things to see a minister of the past portrayed in oils in the corridors of power, while his most recent successor was obliged to take a walk to a photo booth.

The more the portrayed person lives in the present – and hence *needs* the present – the more important is control of the picture. For the photographer, taking a rock star's portrait means bringing along a stylist with various assistants. Performers, presidents and those famous for their fame are professionally aware of their image and their audience. Thus they are usually keen to make their own decisions on how their portrait will turn out.

Others are seen as people wish them to be seen. When press and police photographers raise their cameras at the scene of crime a corpse is without voice. Small children might complain but mother and father decide the pose. Half way up the scale we've got graduation and wedding photographs and snapshots from staff parties and holidays.

People in portraits seem to agree on only one thing – that the picture falls short of the truth. All portraits are false (so are all people says the cynic). And with this we return to our starting point: seeing the individual.

Portraits provide rapid transit to the past. Perhaps our interest in classical antiquity is so stable exactly because Roman and Greek sculptures allow us to see the individual. The Byzantine paintings of saints may have been beautiful, but we still prefer to see individuals rather than principled people with the human condition left behind them. People need to see each other.

We can't meet everyone, neither the living nor dead. Most people living are unseen and unheard. The majority of dead lived an unseen life. The first individualised portrait of a Swede is on a coin depicting 11th century Olof Skötkonung. The celebrated and powerful are still portrayed on banknotes. Portrait and note: two symbols giving mutual strength.

Power needs portraits. Meticulous judgement lies

behind deciding who will have the task of photographing the president of France. Power also needs an air of humanity, hence all the American presidents with rolled up sleeves. Clinton even went as far as making a short film of himself in the White House (though without the scenes many people would wish to see).

In contrast to official portraits are those of more private character, sometimes from the margins of life. Over the years photographers have increasingly left paid assignments to instead portray family and friends. Some photographers consciously seek out the fringes of society.

Cartier-Bresson used the same camera whether he was depicting artist friends, people living on the street or presidents. What's important is not choice of technique but relationship between photographer and photograhed. Raising the camera among family or friends seems easy enough, but anyone who has attempted to take pictures of those dearest and nearest is aware of how reticent they can be. Who knows how any such photo will be interpreted in the future?

We live in the age of the picture, says the cliché. The camera can now reach all corners of the world, but taking a portrait of someone is still an act with symbolic undertones, where and whenever it is taken. In certain "primitive" cultures there is a direct aversion to being photographed. In several European countries law restricts the right to take photos of people in public places such as to recognise them. Taking portraits in other words. In Sweden photographing is prohibited in certain places at certain times. Why is this?

The answer is revealed in the language: "take a picture". Portrait photographer as thief.

Faced with an unknown camera, the majority of us react as though the photographic portrait was some form of theft. Is the "self" diminished, the soul hollowed out, after each portrait?

Cameras are not allowed in Swedish courts, though sketchpads and tape recorders are. A distinction also made by French psychoanalyst Jacques Lacan. When I arrived at one of his lectures with a tape recorder a beefy bodyguard showed up and threatened to throw me out if I took any photos of the Master. I could take his voice – that is his thoughts, but not his picture.

Andy Warhol used to say everyone can have 15 minutes of fame. Printing visiting cards with name on one side and portrait on the other is a habit long since gone, while docusoaps come to us straight from the bedroom. The problem still remains: how shall I look during the short spell of being seen, truly seen?

Over 160 years since the first photographic pictures were exposed, the fear of being photographed is still alive. Capturing another person pictorially is also undoubtedly one of the hardest tasks to achieve. To paraphrase Man Ray (who was among other things an excellent portrait photographer) the art of portraying, like the art of love, is without developments. There are simply different ways of loving and different ways of seeing. Which in reality are one and the same thing. Perhaps we should only be photographed by our loved ones.

With the arrival of photography, art was released from any call to document. The camera could well and truly show things better and more rapidly than most painters. Many portrait painters did indeed go over to photography. Those who continued with painting were obliged to discover the soul to give customers something for their money.

My guess is that photographers were quite happy leaving the soul to painters. Nothing wrong with the body! Nowadays portraits are above all synonymous with close-ups, but the earliest photographic portraits lead thoughts to sculpture. The first American reportage photographers of the Civil War preferred to show the men full-length, as did French and English photographers irrespective of genre. The body language of models is carefully thought out, lighting is precise. More recently, film and above all television, has acclimatised us to extreme close-ups, while the discretion of the first photographic portraits invites us to come closer and listen.

Photography is still defined through its relationship to painting. Yet should we not be agreed that the importance lies not in how a picture is produced – whether in oils, light-sensitive film or pixels on a screen – but what it shows.

Perhaps however the reticence of photographs to

become "art" is a good thing. There is something about photography that signals "truth" no matter how many times photographers assure us the pictures are subjective. (Lars Grönwall plays with these concepts when taking a photographic portrait of a portrait at an exhibition.)

Many early photographers were passionately interested in architecture and art. Partly out of a desire to raise the standard of photographic depiction by approaching the other arts, and partly because of the practicality of photographing something stationary. Photographers took their experiences of lengthy preparations and precise lighting with them into the portrait studio. The first photographic portraits are strangely moving, perhaps because those involved so clearly make an effort. Subjects pose stiffly, while the photographer seeks beauty with lighting and composition. Early photographic history has wonderful portraits where photographers appear more free and more playful than their contemporary colleagues.

One of these remarkable portrait photographers at the end of the nineteenth century was Félix Nadar who started out as sketcher of caricatures but was among many other things balloonist and inventor. Somewhere amid all this Nadar succeeded in launching himself as an in vogue Paris photographer. Anyone of standing in the city appears to have passed through his studio.

At first Nadar saw to it that his models had the attributes of their professions or social standing, but he soon began a process of simplification, perhaps to give himself time for so many other pursuits. His portrait of the young Sarah Bernhardt dressed only in a horse blanket could have been taken by Annie Leibowitz for Madonna's new album. The differences are to Nadar's advantage since Sara Bernhardt displays a natural beauty while the models of Leibowitz look like conceptual products where photographer and model make a "statement" – considered classier than simply taking a picture.

Nadar's portraits perhaps gained such life because he was not steered by any predetermined ideas about how a particular portrait should be. He was the first to use artificial lighting and had great fantasy both inside and outside the studio. Some portraits are very carefully thought out, others are improvisations.

Ideals of beauty have changed, but the strategies of the portrait photographers trade are much the same. Photographers can choose to have models surrounded by attributes or with a discrete background. They can allow us to meet the eye of the subject or let the subject look beyond us. The model may be placed on a chair or standing. The photographer can choose to retouch bad skin, beautify colour of eyes and hair or not. The issue remains the same. How to see the individual?

Lars Grönwall chooses what is at once most easy and most difficult. He works both on his own projects and on commission, which means he must heed the wishes of his clients. My suspicion however is that time must stand still when he looks through the view finder, that all time becomes "now". There is no great difference between commissioned portraits and those pictures taken on his own assignments. He never beautifies his models. Perhaps those people chosen by Grönwall himself appear more relaxed than those photographed on commission.

If at all Grönwall seeks beauty it is in composition. Those pictures of his own children are naturally more free than those of people in power, but otherwise without guidance from a name it can be difficult to guess social position.

There is a dividing line between Grönwall's portraits. This has nothing to do with social standing of a model nor who client is, but concerns presence. Not even the most scrupulous of photographers can predict everything. As with God, the photographer has to leave at least something to chance. That's when people come alive. Or more precisely: that's when people find their lives.

Some people in this book are fully present when the shutter opens, others are elsewhere. We see them. They see us. Others appear pretentious, perhaps revealing more about how they view themselves than they expected to. Wasn't it about just standing in front of the camera? Others are more cautious, seeming to ask themselves why we wish to see them.

But there is no need to ask that. One face seeks another. That's why portraits are needed.

Mikael Timm

1

THORE

THORE

THORE
THORE

THORE
THORE
THORE

TENSTA
BOXNINGS
KLUBB
GENUINE
FIGHTER
GEAR

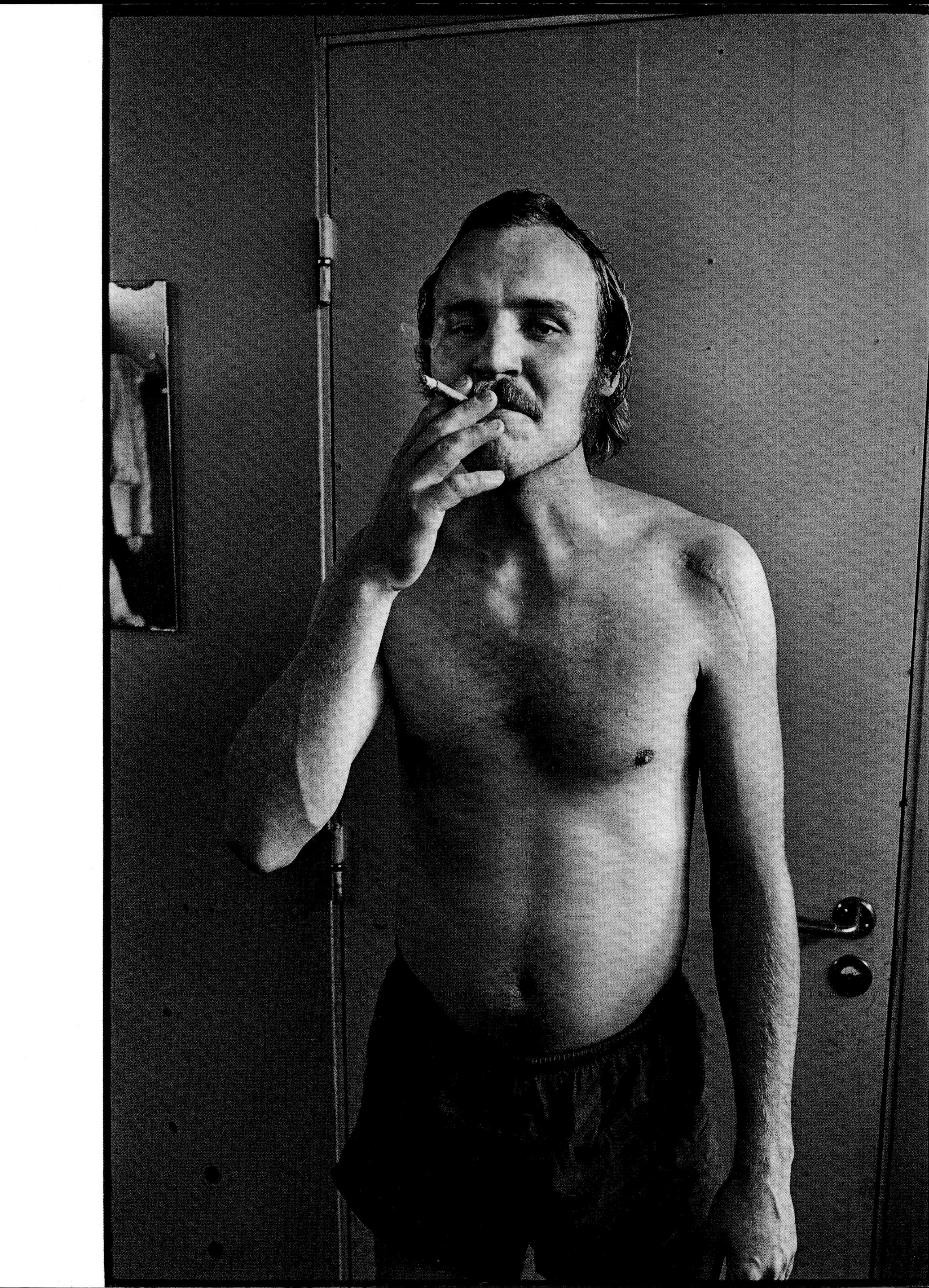

ABATE
SWEDEN
MCM
ÄR INTE MÅLET — UTAN RESAN.
TEN YEARS
PRESIDENT
WHEEL-LEGS
MC
HARLEY-DAVIDSON
SWEDEN

ller 1 porträtt
minuter.
61KR.

Bildförteckning / Key to photographs

1. Rolf Feldtman, elefantskötare / elephant-keeper, Stockholm, 1982.
2. Elsa Hågard, fotografens dotter / photographer's daughter, Stockholm, 1992.
3. Edouard Boubat, fotograf / photographer, Paris, 1990.
4. Graffiti, Via dell'Amore, Cinque Terre, 2000.
5. Horace Engdahl, författare / writer, Stockholm, 1999.
6. Peter Möllerström, gymägare / gym owner, Stockholm, 2000.
7. Miriam Furuhjelm & Axel Ingelman-Sundberg, professorer / professors, Djursholm, 1997.
8. Tom Rafstedt, art director, Stockholm, 1999.
9. Bosse Ringholm, finansminister (s) / Minister of Finance (soc dem), Stockholm, 2000.
10. Catharina Liljekvist, utbildningsledare / training officer, Stockholm, 2000.
11. Kathy Taylor, dansös / dancer, Paris, 1990.
12. Gruvarbetare / Miners, Stekenjokkgruvan / Stekenjokk mine, Klimpfjäll, 1986.
13. Anders Frisk, fotbollsdomare / football referee, Göteborg, 2000.
14. John E. Franzén, konstnär / artist, Österlen, 2001.
15. Alexander Hågard, fotografens son / photographer's son, Österlen, 1991.
16. Thore Skogman, artist / performer, Karlstad, 1995.
17. Thore Skogman, artist / performer, Karlstad, 1995.
18. Helena Bergström, skådespelare / actress, Stockholm, 1996.
19. Gösta Nyberg, fotograf / photographer, Stockholm, 2000.
20. Elsa Hågard, fotografens dotter / photographer's daughter, Österlen, 1999.
21. Samara Braga, konstnär / artist, Stockholm, 1997.
22. Roseline Tranmarker, erotisk dansös / erotic dancer, Stockholm, 2000.
23. Claudio & Joy Gärtner, elefantdressörens söner / elephant trainer's sons, Stockholm, 1984.
24. Fresk / Fresco (c 70 e Kr / AD), Pompeji, utställd på / exhibited at Rooseum, Malmö, 1991.
25. Kristina Eklöv, journalist, Stockholm, 2000.
26. Jonas Kraenzmer, kroppsbyggare / body builder, Stockholm, 2000.
27. Elvir Grönvall, cigarrhandlare och gallerist / cigar retailer and art-gallery owner, Österlen, 2000.
28. Björn Ranelid, författare / writer, Stockholm, 1996.
29. Harry & Rickard Åkerlund, far & son / father & son, Stockholm, 1998.
30. Knut Sahlé, trädgårdsmästare / gardener, Ystad, 2001.
31. Lena Endre, skådespelare / actress, Stockholm, 1998.
32. Jonas Arvidsson, countrymusiker / country musician, Ystad, 2001.
33. Ulf Jonsson, timmerman / carpenter, Stockholm, 1978.
34. Peter Lemarc, artist / performer, Stockholm, 1997.
35. Bo Lundgren, partiledare (m) / party leader (conservative), Stockholm, 2000.
36. Bobban & Randie, medlem / member & president Wheellegs mc, Österlen, 2001.
37. Regina Bouglione, cirkusartist / circus performer, Stockholm, 1984.
38. Nils Samuelsson, pensionär / pensioner, Borås, 1989.
39. Bertil Wiman, segelmakare / sailmaker, Stockholm, 1999.
40. Vanja Befrits, verkställande direktör / managing director, Stockholm, 1997.
41. Harrison Ford, skådespelare / actor, Stockholm, 1997.
42. Alice Timander, tandläkare & kändis / dentist & celebrity, Stockholm, 2001.
43. Tore & Torsten Jeppsson, traktor- & bilmontörer / tractor & car mechanics, Österlen, 2001.
44. Sven-Göran Eriksson, fotbollstränare / football manager, Genova, 1997.
45. Okänd / Unknown, T-centralen / underground station, Stockholm, 1979.

Tack / Thanks:
Kerstin Hågard, Anders Norderman, Lars Kjellberg, Gösta Flemming,
Gabor Palotai Design, Thomas Baumbach, Lasse Nielsen, Leif Strömbäck & Rekord Offset

Självporträtt / Self-portrait, Stockholm, 2001.

EN FACE
ISBN 91 974182 3 4
Design: Gabor Palotai Design
Bildlayout / Picture layout: Lars Grönwall, Gösta Flemming
Redaktör / Editor: Gösta Flemming
Översättning / Translation: Peter Hogan
Prepress, tryck / printing: Rekord Offset, Stockholm
Bindning / Binding: Fakta bokbinderi
Papper / Paper: Invercote G 300 g & Silverblade Matt 170 g.

Journal
Grindsgatan 31
SE 118 57 Stockholm
info@journal-media.se

Made in Sweden 2002